KV-417-026

COLOR
fun

Finn McMissile is betrapt en probeert zich uit de voeten te maken.
Finn McMissile est poursuivi et tente de s'échapper.

Het Team Bliksem McQueen kijkt naar de show van de Kabuki-dansers.
L'Écurie Flash McQueen regarde le spectacle de danse des Kabuki.

Holley Shiftwell is een geheim agente die Finn helpt op zijn missie.
Holley Shiftwell est un agent secret qui aide Finn dans sa mission.

Professor Z heeft gemene plannen.
Professeur Z a des projets odieux.

Bliksem verliest de race tegen Francesco Bernoulli.
Flash perd la course contre Francesco Bernoulli.

Finn en Holley proberen uit te zoeken van wie de motor op de foto is.
Finn et Holley tentent de trouver à qui est le moteur sur la photo.

Fillmore en Bliksem ontmoeten Luigi's Oom Topolino.
Fillmore et Flash rencontrent l'oncle de Luigi, Topolino.

Holley kan zich bevrijden en ontsnapt uit Big Bentley.
Holley parvient à se libérer et s'échappe de Big Bentley.

De Queen verwelkomt de racers in Engeland.
Les coureurs sont accueillis par la Reine en Angleterre.